D0226670
Ce livre appartient à :
Sébastien BOYER
Offert par :
Reçu le :

Walt Disney

# Les 3 petits cochons aux sports d'hiver

Raconté par Claire Mayras

Hachette

Hachette, 79, boulevard Saint-Germain, Paris VIe

Chapitre 1

# Que faire ?

« Alors, tu joues, oui ou non ? fit Nouf-Nouf,

impatienté. C'est ton tour ! »

Il faisait bon dans la maison des trois petits cochons mais la bise d'hiver sifflait rageusement tout autour. Nos petits amis, enfermés depuis plusieurs jours à cause des intempéries, passaient le temps, chacun à sa manière.

Naf-Naf, le plus sérieux des trois frères, travaillait dans son bureau.

Mais le travail n'était pas l'affaire de Nouf-Nouf le farceur, ni de Nif-Nif le poète!... C'est pourquoi ils trouvaient tous deux les journées bien longues.

Ce jour-là, ils en étaient à leur cinquième partie de dames, et Nif-Nif, au lieu de jouer, se balançait distraitement sur sa chaise en regardant ailleurs.

« Mais joue donc! reprit Nouf-Nouf. Tu rêves tout le temps!

— Je ne rêve pas, répondit Nif-Nif, je m'ennuie. Je m'ennuie, je m'ennuie, je m'ennuie... », répéta-t-il en chantonnant de plus en plus fort, tant et si bien qu'il finit par crier à pleins poumons : «*Je m'ennuie!*»

«Hé, tu n'es pas fou de crier comme cela, fit Nouf-Nouf en jetant un regard embarrassé sur la porte du bureau, tu vas déranger Naf-Naf!

— ... m'est égal!» marmonna Nif-Nif, énervé.

Et il cria de plus belle : «Quand je m'ennuie, *je m'ennnuiiie*!»

Il arriva donc ce qui devait arriver...

La porte du bureau s'ouvrit en coup de vent, et Naf-Naf rugit :

«Tu t'ennuies, d'accord! Mais ce n'est pas une raison pour m'ennuyer, moi! J'ai des choses importantes à faire, figure-toi! Alors tes hurlements, tu vas les pousser dehors!»

Et, traversant la pièce à grands pas, il ouvrit la porte du jardin :

«J'attends : mettez un manteau, et sortez, puisque vous êtes incapables de vous ennuyer en silence!»

Nif-Nif, un peu refroidi par les paroles de son frère (et aussi par le vent glacé qui entrait par la porte ouverte), protesta faiblement :

«Ah, non, écoute... Il fait bien trop froid! Rien que d'y penser j'en ai les oreilles gelées... Un vrai froid de canard!

— Voyons, intervint Nouf-Nouf en riant, tu ne vas pas faire sortir des petits cochons par un froid de *canard*!»

Naf-Naf ne put s'empêcher

de sourire, et referma la porte
en haussant les épaules :

« Bon... tâchez de ne plus me

déranger, au moins... »

Nouf-Nouf proposa alors :

« Et si tu nous composais une de ces petites chansons dont tu as le secret, Nif-Nif? »

Nif-Nif s'approcha de la fenêtre en traînant les pieds, et jeta un coup d'œil maussade sur le jardin désolé par l'hiver.

« Je n'ai pas d'inspiration quand je suis enfermé », murmura-t-il tristement. Il souffla sur la vitre pour y faire des ronds de buée, et se mit à dessiner dessus avec son doigt.

Nouf-Nouf, intéressé par ce nouveau jeu, venait de le rejoindre quand le portillon de la clôture s'ouvrit pour laisser passer leur ami P'tit Loup. Celui-ci traversa le jardin en courant, et bondit dans la maison.

« Je viens vous dire au

revoir, dit-il, haletant. Nous partons dans une heure!

— Vous partez? Mais pour où? demanda Naf-Naf, intrigué.

— Pour la montagne. P'pa s'ennuie toujours en hiver. Et cette année, il faut bien dire qu'il fait si froid que vous ne sortez plus de chez vous. Alors...

— Alors ton père s'ennuie doublement, parce qu'il n'espère plus nous attraper, continua Naf-Naf. Ne me demande pas de le plaindre!... Mais, dis-moi, resterez-vous longtemps absents?

— Une quinzaine de jours, au moins, répondit P'tit Loup.

— Oh non! s'écrièrent d'une même voix Nouf-Nouf et Nif-Nif désolés. Tu ne viendras plus nous voir; nous nous

ennuyions déjà tellement!...
Sans tes visites, cela va devenir insupportable!»

Les yeux de Nif-Nif, qui était le plus sensible des trois petits cochons, se remplirent de larmes.

«Ça ne m'amuse pas de vous quitter, tu sais, dit P'tit Loup, assez ému lui aussi. Mais quand P'pa décide quelque chose, il ne reste plus qu'à obéir.»

Depuis quelques instants, Naf-Naf regardait ses frères et son ami d'un air attendri :

«Allons, ne pleurez plus, dit-il finalement. Tout cela peut s'arranger...

— Comment?

— Où allez-vous exactement ? demanda Naf-Naf à P'tit Loup.

— Le village s'appelle Pierrefendre. Pourquoi ?

— Pierrefendre ! Cela tombe à merveille ! C'est tout près.

— Tout près de quoi ? interrogèrent Nif-Nif et Nouf-Nouf, étonnés.

— Ah, voilà ! fit Naf-Naf malicieusement. Tout près de quoi ? C'est mon secret... Allez faire vos valises, et je vous le dirai.

— Nos valises ? Mais alors... nous partons ? s'écria Nouf-Nouf, ravi.

— Nous partons, confirma Naf-Naf. Dépêchez-vous. » Puis, comme ses frères le regardaient sans répondre, les yeux écarquillés, il ajouta :

« A moins que vous ne

préfériez rester ici à jouer aux dames ?

— Non, non, non », s'empressa de répondre Nouf-Nouf, et tirant Nif-Nif par la main, il lui dit en riant : « Viens vite, avant qu'il change d'avis ! »

« Où allez-vous donc ? demanda P'tit Loup à Naf-Naf.

— A Ticochonnaz-le-Haut, répondit Naf-Naf. C'est une station de sports d'hiver, située justement à 10 kilomètres de Pierrefendre. Tu vois que tu pourras facilement venir nous voir.

— Oui, fit P'tit Loup, mélancolique. Si mon père le permet...

— S'il le permet ? s'écria Naf-Naf. Tu ne vas pas lui

demander la permission, tout de même ?

— Mais pourquoi ?

— Mais parce qu'il ne faut pas qu'il sache que nous serons aussi à la montagne. Sinon, adieu les vacances tranquilles ! En fait de sports, le seul que nous pourrions pratiquer serait la chasse, et encore, comme gibier ! Promets-moi que tu ne lui diras rien.

— Je veux bien, répondit P'tit Loup après quelques secondes d'hésitation. Mais comment ferons-nous.

— Ecoute, tu trouveras bien un prétexte pour quitter ton père ! Voilà notre adresse ; tu n'auras qu'à nous écrire la veille du jour où tu pourras venir, et nous irons te chercher à la descente du car. »

Chapitre 2

# Une lettre de Pierrefendre

Dans leur chalet de Ticochonnaz-le-Haut, les trois petits cochons se chauffaient autour d'un bon feu. Une cuiller de bois à la main, son ventre replet serré dans un grand tablier bleu, Nouf-Nouf surveillait la marmite.

« Ce sera bientôt cuit, dit-il à ses frères. Et vous m'en direz des nouvelles !

— Je ne te reconnais plus depuis que nous sommes à la montagne, remarqua Naf-Naf. Comment... toi, le plus paresseux des petits cochons du monde entier, tu skies toute la journée... et le soir, tu fais encore la cuisine, par-dessus le marché !

— Hé ! répondit gaiement Nouf-Nouf, c'est que j'aime m'amuser, et je suis gourmand. Demande à Grand Loup s'il est paresseux quand il s'agit de nous courir après !... Allons, à table !

— A propos, dit Nif-Nif entre deux cuillerées, P'tit Loup devait nous écrire, et venir nous voir. Je me demande ce qu'il attend.

— Il attend l'occasion, répondit Naf-Naf. Je lui ai fait promettre de cacher à son père que nous étions ici : s'il lui demande la permission de s'absenter toute une journée, il faudra bien qu'il lui donne une raison... Pauvre P'tit Loup! Ce doit être bien difficile... D'abord il n'aime pas mentir, et puis notre sécurité dépend de lui.

— Bah! notre sécurité! s'écria Nouf-Nouf. Après tout, Grand Loup ne me fait pas peur. Sur mes skis, je ne crains personne.

— Te voilà bien fanfaron, répliqua sévèrement Naf-Naf. Tu es toujours très courageux en paroles... Mais crois-tu que tu rirais encore si Grand Loup t'attendait demain matin au bord des pistes, s'il te poursuivait dans la forêt, si en ce moment même il était en train de rôder autour du chalet ?... »

Nif-Nif jeta un regard nerveux du côté de la fenêtre et dit d'un ton plaintif :

« Oh, Naf-Naf, arrête!... Rien que d'y penser, Brrrr!...

— Allons, calme-toi, reprit Naf-Naf. Je ne veux pas vous faire peur pour rien ; mais je vous recommande une fois de plus d'être toujours prudents. On ne sait jamais... »

Sur ces mots, les trois petits cochons allèrent se coucher, Naf-Naf un peu soucieux, Nouf-Nouf assez penaud et Nif-Nif pas rassuré du tout.

Il était même si impressionné qu'à peine endormi

il fit un affreux cauchemar.

« Au secours ! » hurla-t-il tout à coup dans le silence de la nuit. Et il s'assit sur son lit, tremblant comme une feuille.

« Eh bien, fit Naf-Naf, réveillé en sursaut, qu'est-ce qui te prend ?

— J'ai vu... j'ai cru... j'ai rêvé... Oh ! c'était terrifiant !

— Mais quoi ?

— J'ai rêvé que le facteur m'apportait un gros paquet. Et, au moment où je coupais la ficelle, tout content, le papier se déchirait d'un seul coup... et le Grand Méchant Loup en sortait pour me dévorer ! Oh, Naf-Naf, comme j'ai eu peur !

— Ce n'était qu'un rêve, répondit Naf-Naf. Dors... »

Au même moment, à Pierrefendre, il y avait justement un loup qui se préparait à confier à la poste un message pour nos amis...

Ce n'était pas le Grand Méchant Loup, c'était le Petit! Et ce n'était pas un paquet piégé qu'il voulait envoyer, c'était une lettre bien innocente.

P'tit Loup s'était en effet relevé sans bruit de son lit, au milieu de la nuit, le cœur battant. Il était allé s'installer sous la lampe de la cuisine, pour écrire à ses amis en cachette de son père :

Et voici ce qu'il écrivit :

Chers petits cochons et amis,

J'essaierai de venir
passer avec vous la journée
de jeudi, si mon père me
permet de le quitter. Je
le lui demanderai demain
matin, avant de mettre
cette lettre à la poste.
Si vous la recevez,
venez donc me chercher
à l'arrivée du car.
Bons baisers et à jeudi,
j'espère.

P'tit Loup

Puis il plia sa lettre et la mit dans une enveloppe sur laquelle il inscrivit l'adresse :

*Aux trois petits cochons,*
*Chalet le Clos Joli,*
*Ticochonnaz-le-Haut.*

Et il colla l'enveloppe d'un grand coup de langue.

Pendant ce temps-là, Grand Loup, réveillé par la lumière, se demandait ce que pouvait bien faire son fils, seul à la cuisine à cette heure-là.

Il s'approcha sans bruit de la porte vitrée et vit P'tit Loup glisser son enveloppe derrière les pots de confiture.

« Ho ! ho ! j'en aurai le cœur net », se dit-il, intrigué.

Il attendit que P'tit Loup s'endorme, alla tirer la lettre de sa cachette et décolla l'enveloppe sans la déchirer, en la passant à la vapeur. Puis il lut la lettre, et un mauvais sourire se dessina sur son visage :

« Bon, bon, murmura-t-il, on se paye ma tête, on me fait des secrets... Nous verrons bien qui sera le plus malin, mes petits amis. » Il recolla l'enveloppe, la remit où il l'avait prise et retourna se coucher.

Le lendemain matin, P'tit Loup prépara le petit déjeuner avec un soin tout particulier. Il voulait l'apporter au lit à son père, espérant que cette gentille attention le mettrait de bonne humeur.

« Bonjour, P'pa, dit-il en posant le plateau sur

la table de nuit.

— Bonjour, fiston, bien dormi ? » répondit Grand Loup en lui tapotant affectueusement la joue.

« La chance est avec moi ! se dit aussitôt P'tit Loup. P'pa est d'une humeur exceptionnelle ! Je ne l'ai jamais vu si gentil... » Et il se demanda comment annoncer à son père qu'il souhaitait passer seul la journée du lendemain.

Mais Grand Loup lui épargna cette peine.

« Dis donc, fils, lança-t-il, il ne faut pas te croire obligé de me tenir compagnie tout le temps. Tu dois bien avoir des amis au village ? Pourquoi ne vas-tu pas jouer avec eux ? Tiens, c'est demain jeudi : prépare-toi un pique-nique et passe donc la journée dehors, à t'amuser... Je me débrouillerai très bien tout seul.

— Mais, P'pa...

— Mais quoi, fiston? Vas-y, puisque c'est moi qui te le propose.»

P'tit Loup, stupéfait, mais ravi, courut mettre la fameuse lettre à la poste.

Nos trois amis la trouvèrent en revenant des pistes.

«P'tit Loup sera là demain, annonça Naf-Naf à ses frères,

— Youpi! firent Nouf-Nouf et Nif-Nif. Comme nous allons bien nous amuser!»

Chapitre 3

# Des chutes et des rhumes

Dès huit heures le lendemain matin, nos trois amis coururent à l'arrêt du car de

Pierrefendre pour accueillir P'tit Loup.

Ils attendaient depuis cinq minutes quand un bruit de moteur leur parvint du fond de la vallée. Un joli petit car rouge surgit du dernier virage sur les chapeaux de roues. Il dévala la pente à toute vitesse, en pétaradant joyeusement, et vint s'arrêter devant eux dans un grincement de freins.

« Eh bien, fit Nouf-Nouf étonné, voilà un chauffeur qui n'a peur de rien ! »

Puis il courut embrasser P'tit Loup qui descendait du car, le visage tout pâle et les traits tirés.

« Oh ! comme tu as l'air triste..., dit Nif-Nif à son ami. Qu'est-ce qui ne va pas ?

— Je ne suis pas triste, mais j'ai un peu mal au cœur ; répondit P'tit Loup piteusement. Ces routes de montagne tournent sans arrêt, et le chauffeur se prenait pour un pilote de course... Enfin, ça va mieux, maintenant. »

Les petits cochons l'entraînèrent vers le chalet où ils voulaient prendre leurs skis.

« Je n'ai pas de skis, moi, dit P'tit Loup. Et d'ailleurs, je ne sais pas skier... Comment allons-nous faire ?

— Nous en louerons pour toi, et je te donnerai des leçons », promit Naf-Naf en lui tapant gaiement sur l'épaule.

Peu après, ils se retrouvèrent au sommet de la pente des débutants.

« Attention, P'tit Loup, dit Naf-Naf en fixant les skis de son ami. Enfile bien tes gants : tu vas tomber plus d'une fois, et tu te ferais mal si... Déjà ! »

P'tit Loup venait de faire sa première chute avant même d'avoir commencé !

« J'ai l'impression que ce ne sera pas la dernière ! » dit-il en riant. Et il se releva péniblement, aidé par Nouf-Nouf et Nif-Nif. « Ce que ça glisse ! Enfin, allons-y, je t'écoute, cher professeur...

— Regarde, P'tit Loup, c'est facile », se vanta Nouf-Nouf. Et, entraînant Nif-Nif à sa suite, il s'élança pour une démonstration.

« Facile de se rctrouver par terre, oui ! répondit P'tit Loup deux secondes plus tard, à plat ventre dans la neige.

— Allez donc un peu plus loin, dit Naf-Naf. Vous nous gênez. Je m'occupe de lui. »

« Dis donc, Nif-Nif, fit Nouf-

Nouf quelques minutes après, regarde ça! P'tit Loup est tombé tant de fois qu'il est tout couvert de neige; un loup blanc, cela ne se voit pas tous les jours!»

Nif-Nif ne répondit pas : il glissait en douceur sur la pente, écoutant le vent qui lui sifflait aux oreilles et le joli crissement de la neige sous ses skis.

Après un dernier virage, il

s'arrêta sur le bord de la piste et s'absorba dans la contemplation du paysage, un léger sourire sur les lèvres.

Nouf-Nouf le rattrapa en riant :

« A quoi rêves-tu encore ? Tiens, voilà Naf-Naf qui tombe aussi : il s'occupe tellement de P'tit Loup qu'il ne regarde plus ses pieds !... Hé, Nif-Nif, tu m'écoutes ?

— Attends un peu », répondit son frère. Il regardait ses amis de loin et fredonnait entre ses dents. « Je compose une chanson en l'honneur de P'tit Loup et de cette belle journée.

— Oh, tu me la chanteras, dis ?

— Mais oui, j'ai presque fini. Tra la la la... Voilà. Ecoute :

« Chanson des chutes et des rhumes.

*Glissons, tout est blanc :*
*Quel joli manège !*
*Tournons sur la neige,*
*Sans tomber dedans !*
*Boum !*
*Glissons fièrement !*
*Mais voilà la brume :*
*Attention aux rhumes*
*Qu'apporte le vent...*
*Atchoum !*

— Elle est très réussie », fit Nouf-Nouf, admiratif.

Nif-Nif rougit un peu.

« Tu veux l'apprendre ? proposa-t-il.

— Je veux bien essayer, mais tu sais, moi, la musique... »

Et nos deux amis se lancèrent à nouveau sur la piste. Nif-Nif chantait sa chanson, et Nouf-Nouf reprenait avec vigueur les «boum» et les «atchoum» : il n'était pas très musicien, mais pousser des cris en plein air, ça, il avait toujours su le faire!

Ils étaient si absorbés qu'ils ne virent pas l'ombre noire qui se glissait d'arbre en arbre, un peu plus bas sur la pente...

«Jouez, chantez, riez», murmura Grand Loup. (Car c'était lui, vous l'aviez deviné.) «Rira bien qui rira le dernier!»

Il choisit un très gros arbre tout couvert de neige et vint se cacher derrière. Ecartant les branches basses, il suivit des yeux les évolutions de nos deux musiciens en se léchant les babines.

«En fait de chanson, celle que je préfère, moi, c'est celle de l'eau qui bout dans la marmite. Ah, un petit cochon au court-bouillon, quel délice ce doit être!»

Nif-Nif et Nouf-Nouf n'étaient plus qu'à cinquante pas de l'arbre. Nif-Nif attaqua pour la troisième fois le deuxième couplet et Nouf-Nouf cria une fois de plus «atchoum!» de toute sa force.

Quelle ne fut pas leur surprise quand ils entendirent un «atchoum» lointain, mais vigoureux, leur répondre!

C'était Grand Loup qui s'enrhumait derrière son arbre, les pieds dans la neige...

Chapitre 4

# Grand Loup passe à l'attaque

« Ecoute ! s'écria Nouf-Nouf, ravi. L'écho nous répond.

— On dirait bien que tu as raison », répondit Nif-Nif, et il s'arrêta au bord de la piste. « Cherchons d'où il vient, proposa-t-il.

— Qui ça ?

— Eh bien, l'écho ! »

Nif-Nif, les mains en porte-voix, se mit à chanter les

premiers vers de sa chanson :

*Glissons, tout est blanc :*
*Quel joli manège !*

Puis il ouvrit toutes grandes ses oreilles.

Derrière le gros arbre, la cervelle de Grand Loup fonctionnait à toute vitesse :

« Ces deux imbéciles m'ont pris pour l'écho, se dit-il. Si je joue bien mon rôle, ils vont se rapprocher et me tomber tout rôtis dans le bec ! »

Il prit donc sa voix la plus caverneuse pour crier :

*« ... ééééé blanc...*
*... a nééééééé jeu... »*

« Curieux, remarqua Nif-Nif, cet écho chante faux !

— Ça vient de ce côté, l'interrompit Nouf-Nouf tout excité. Voyons ce que ça donne de plus près... »

Poussant sur leurs bâtons, ils s'élancèrent dans la direction de l'arbre et s'arrêtèrent à trente pas de lui.

« Ça marche, ricana Grand Loup de son côté, encore un coup et je les tiens ! »

Nif-Nif reprenait à tue-tête la suite de la chanson :

*Tournons sur la neige,*
*Sans tomber dedans !*

*« ... ééééé jeu...*
*... eueueu dans... »,*

hurla Grand Loup. Et il commenta à part soi : « Jolie chanson, ma foi. Je propose une variante :

*Glissez un peu plus...*
*Et j'vous tombe dessus!»*

Nos petits amis, inconscients du danger, amorçaient en effet la dernière glissade qui devait les précipiter dans la gueule du loup!...

Mais, plus haut sur la pente, Naf-Naf veillait. Intrigué par le manège de ses frères, il les avait appelés à plusieurs reprises : hélas! tout à leur jeu, ils ne l'avaient pas entendu.

Il descendait donc la piste à toute vitesse pour les rejoindre. Quant à P'tit Loup, il suivait tant bien que mal, tantôt skiant, tantôt roulant, tantôt plongeant la tête la première.

Ils allaient rattraper nos deux têtes folles, à quelques mètres de l'arbre fatal, quand

Nouf-Nouf cria, pour terminer le premier couplet :

« Boum !

— A table!» rugit l'écho d'une voix terrible. Et le Grand Méchant Loup, voyant que les petits cochons ne pouvaient plus lui échapper, sortit de sa cachette.

Horreur!

Nif-Nif voulut fuir par la droite... Nouf-Nouf voulut se sauver par la gauche... Mais le bâton de Nif-Nif se prit dans l'écharpe de Nouf-Nouf... Mais le ski droit de Nouf-Nouf accrocha le ski gauche de Nif-Nif...

Et patatras! Nos deux pauvres amis se retrouvèrent par terre : ils n'étaient plus qu'un petit tas tremblant et confus, hérissé de bâtons.

Grand Loup, accoudé au tronc de l'arbre, jouissait de son triomphe :

« Au menu, annonça-t-il, pâté

de petits cochons! Pas mal... mais il faudra enlever les arêtes!» Et il se mit à rire sans retenue de sa propre plaisanterie.

Il avait compté sans Naf-Naf.

Celui-ci saisit d'un seul regard la situation et ne perdit pas la tête. (Naf-Naf ne perdait jamais la tête!)

Du même geste, il lâcha ses bâtons, se pencha et fit en un clin d'œil une grosse boule de neige bien serrée.

Puis il se redressa et la lança de toutes ses forces, décuplées par le danger, au sommet de l'arbre.

Le choc secoua les branches,

et toute la neige accumulée dessus s'abattit d'un seul coup : le rire de Grand Loup s'arrêta net sur un dernier hoquet, et le silence se fit...

Il ne restait plus sous l'arbre qu'une grosse colline de neige agitée de vagues remous. Au sommet, deux pieds noirs et velus se tortillaient désespérément!...

Chapitre 5

# En route pour le Mont Perdu

Ce ne fut pas une petite affaire de séparer Nouf-Nouf de Nif-Nif, tant ils étaient emmêlés! Naf-Naf finit pourtant par y parvenir, puis il se redressa en grommelant :

« Un fanfaron et un écervelé! Quelle famille! Je vous avais pourtant prévenus :

on n'est jamais trop prudent. »

Nif-Nif et Nouf-Nouf se relevèrent en se frottant les côtes, tout penauds.

Quant à P'tit Loup, il n'était pas beaucoup plus fier.

« C'est ma faute, dit-il à Naf-Naf. J'aurais dû me méfier : chaque fois que P'pa est gentil, il arrive un malheur ! Voilà... Maintenant vous allez partir... J'ai tout gâché !

— Et pourquoi veux-tu que nous partions ? demanda Naf-Naf.

— Mais... puisque mon père sait que vous êtes là, vous n'êtes plus en sécurité...

— Hé, mon cher P'tit Loup, le reste de l'année, ton père sait parfaitement que nous habitons à deux pas de chez lui. Il ne nous a pourtant pas encore mangés, que je sache ?

Nous ferons bonne garde, voilà tout...

— Un petit cochon prévenu en vaut deux, fit Nouf-Nouf, déjà remis de sa frayeur. Et comme nous sommes trois...

— Eh bien, que veux-tu dire ? demanda Nif-Nif. Je ne comprends pas.

— Si chacun de nous en vaut deux, à nous trois c'est comme si nous étions six, répondit Nouf-Nouf, enchanté de son calcul.

— Tu crois que c'est le moment de faire le malin ? rugit Naf-Naf. Allez, les deux clowns, au chalet, et que ça saute ! » Et, après une tape amicale sur l'épaule de P'tit Loup, il reprit la piste derrière ses frères.

P'tit Loup poussa un soupir, empoigna les pieds de son père et se mit à tirer dessus.

Il tira, poussa, tourna, remua et recommença, tant et si bien qu'à la fin les genoux, puis le dos, puis la tête et enfin les bras de son père apparurent.

Grand Loup s'assit, crachotant et éternuant. Puis il plongea son bras dans le tas de neige et récupéra la galette humide qui avait été, autrefois, son chapeau. D'un coup de poing rageur, il le remit en forme, le posa sur sa tête et cria à son fils :

« Alors, sale petit menteur, c'est comme cela que tu pique-niques à Pierrefendre ?

— Tout comme tu restes à la maison, P'pa : tel père, tel fils ! répondit P'tit Loup, indigné.

— Euh... Mais..., fit Grand Loup, déconcerté.

— Parfaitement ! Je n'aurais pas besoin de mentir si j'avais un père normal ! insista son fils.

— Bon, bon. Inutile de s'énerver, reprit Grand Loup un ton plus bas, un peu gêné d'avoir été pris en flagrant délit de mensonge. Je rentre à la maison me coucher. D'ailleurs, Atchoum !... je ne me sens pas bien. J'ai dû attraper un rhume... »

Le lendemain matin, Naf-

Naf éveilla ses frères au lever du jour.

« Aujourd'hui, je vous propose une excursion, leur dit-il. J'ai préparé le matériel, regardez !

— Mais pourquoi les excru... comme tu dis, là... commencent-elles si tôt le matin ? » gémit Nif-Nif en se frottant les yeux.

Nouf-Nouf souleva une paupière, jeta un regard sur le matériel et poussa un cri :

« Qu'est-ce que c'est que ces pioches, Naf-Naf ? Et qu'est-ce qu'une excursion ? Est-ce que ce ne serait pas du travail, par hasard ?

— Mais non, rassure-toi, dit Naf-Naf en riant. C'est simplement une promenade, très haut dans la montagne. Ce que tu prends pour des pioches, ce sont des piolets. On les plante dans la neige quand la pente est trop raide, et on s'y accroche. Habillez-vous vite maintenant, il faut partir de bonne heure pour rentrer avant la nuit. »

Nouf-Nouf et Nif-Nif poussèrent un soupir de soulagement et se levèrent sans se faire prier.

Ils étaient prêts tous les trois quand P'tit Loup frappa à la porte.

« P'pa est au lit avec un rhume, annonça-t-il à ses amis. Vous serez tranquilles aujourd'hui. Mais... où allez-vous avec ces pioches ? »

Les trois petits cochons éclatèrent de rire et expliquèrent à leur ami à quoi devaient servir les piolets.

« Viens avec nous, dit Naf-Naf, nous allons faire l'ascension du Mont Perdu. Ce sera magnifique : il paraît que d'en haut on voit jusqu'à la mer !... »

Ils partirent donc tous les quatre avec les piolets, des provisions dans les sacs à dos et des cordes.

« Pourquoi des cordes ? demanda Nouf-Nouf, toujours curieux.

— Pour nous encorder, répondit Naf-Naf.

— Qu'est-ce que c'est que ça, s'encorder ?

— C'est s'attacher chacun à un bout de la corde : comme cela, si l'un tombe, l'autre le retient. D'ailleurs, c'est le moment. Viens, Nif-Nif, nous nous attacherons ensemble. P'tit Loup et Nouf-Nouf formeront l'autre cordée. »

Ils nouèrent solidement les cordes à leur ceinture et reprirent la montée.

« Dis donc, Naf-Naf, tu sais tout sur la montagne, toi, dit P'tit Loup au bout d'un moment.

— Pas tout, répondit Naf-Naf modestement, mais pas

mal de choses... Par exemple, savez-vous ce que c'est que le Yéti ?

— C'est une montagne ? supposa Nouf-Nouf.

— Non, c'est un animal. Une sorte de grand singe monstrueux qui rôde, dit-on, dans les hauteurs. On l'appelle aussi l'Abominable Homme des Neiges. Ses pieds nus laissent de larges traces dans la neige, mais nul ne l'a jamais vu de près. Il mesure plus de... »

Naf-Naf s'interrompit, étonné : Nif-Nif, qui marchait le premier, venait de s'arrêter pile au détour d'un rocher. Il se retourna, pâle comme un linge, et articula avec effort :

« Il... Ililil... Il est... Il est là !

— Mais qui ? interrogea Naf-Naf en courant vers son frère.

— Le Yé... le Yéyé... le Yéti ! » Nif-Nif claquait des dents de terreur, montrant dans la neige une grande empreinte griffue.

Naf-Naf se pencha, examina la trace, en mesura la profondeur avec une brindille et se releva très inquiet.

« Ce n'est pas le Yéti, dit-il, mais ce n'est guère plus rassurant. Demi-tour, vite !... redescendons avant qu'il ne soit trop tard ! »

Mais n'était-il pas déjà trop tard ?

En effet, Naf-Naf n'avait aucun doute. Ce qu'il avait mesuré de sa brindille, c'était bel et bien l'empreinte de l'Abominable Grand Loup des Neiges !

Chapitre 6

# Trente-six chandelles

« P'tit Loup et Nouf-Nouf, descendez les premiers, cria Naf-Naf, vite!... Nous vous suivons!»

Nos quatre amis se mirent à dégringoler la pente à grands pas, une cordée après l'autre, tandis que Naf-Naf remarquait amèrement :

« Dire que Grand Loup est malade! Que serait-ce s'il était en bonne santé!

— Je ne... sais pas... s'il est... malade, réussit à dire Nouf-Nouf entre deux bonds de chèvre. Mais je suis... sûr... que si nous continuons à ce train-là... c'est nous qui finirons à l'hôpital!

— Tu préfères la marmite? lui cria Naf-Naf. Accélère! Nous pourrons peut-être lui échapper... »

L'idée de la marmite donna des ailes à Nouf-Nouf : contournant un gros rocher à toute allure, il prit en quelques secondes vingt mètres d'avance sur ses frères.

Mais derrière ce gros rocher, qu'y avait-il?

Derrière ce gros rocher, il y avait, comme vous vous en doutiez bien, le Grand Méchant Loup!

Les yeux brillants de fièvre, mais aussi de gourmandise, il se frottait les mains d'un air menaçant.

Il laissa passer P'tit Loup et Nouf-Nouf en soulevant son chapeau d'un geste poli, et ricana sourdement :

« Courez, mes petits, vous ne m'intéressez pas pour l'instant... Tiens... qu'est-ce que c'est que ces cordes? ajouta-t-il en les suivant des yeux. Ma foi, c'est parfait! Ils ont apporté la ficelle du rôti. Je n'en attendais pas tant! »

Mais la seconde cordée arrivait.

D'un seul bond, Grand Loup se jeta en travers du chemin, les bras en croix, et dit à Naf-Naf, avec un sourire qui découvrait trente-deux dents extrêmement pointues :

« Dans mes bras, mon cher déjeuner ! »

Naf-Naf poussa un cri, essaya désespérément de freiner sa course folle, se rendit compte en un instant que c'était impossible, et joua le tout pour le tout.

Il planta d'un seul coup son piolet dans la neige, se laissa tomber dessus et s'y cramponna de toutes ses forces, en hurlant :

« Nif-Nif, arrête-toi, vite ! »

Hélas, Nif-Nif avait toujours manqué de présence d'esprit...

Il fit encore trois bonds désordonnés, donna un grand

coup de piolet dans le vide, se prit les pieds dans la corde et... arrêté net dans son élan, amorça le plus joli vol plané de sa vie!...

Il eut encore le temps de crier : « Au secours! » au moment où il survolait son frère, et il s'écrasa tête la première dans l'estomac de Grand Loup qui s'évanouit sous le choc.

Naf-Naf se relevait déjà, le cœur battant. En un tournemain, il détacha la corde de sa taille, et se précipita sur Grand Loup pour le ficeler solidement.

Puis il se pencha sur Nif-Nif, assez inquiet des conséquences d'une pareille chute.

Mais sur le visage de Nif-Nif s'épanouissait un sourire rêveur :

« Tu as vu, Naf-Naf, je vole!... Et toutes ces étoiles, comme c'est beau!...

— Tu en as vu trente-six chandelles, mon cher poète, voilà tout ! Maintenant réveille-toi, l'excursion est finie. »

Et il détacha Nif-Nif.

P'tit Loup, alerté par le bruit, remontait la pente aussi vite que possible pour porter secours à ses amis.

Naf-Naf lui tendit l'extrémité de la corde qui emprisonnait son père, et lui dit gentiment :

« Si nous changions de compagnon de cordée pour la descente, P'tit Loup, qu'en penses-tu ? »

P'tit Loup eut un sourire d'excuse et s'assit mélancoliquement auprès de Grand Loup, toujours évanoui.

Il attendit que ses amis aient disparu sur le chemin de la

vallée et défit les liens qui saucissonnaient son père des genoux à la gorge. (Naf-Naf ne faisait rien à moitié!)

Grand Loup reprit conscience au dernier tour de

corde, ouvrit des yeux vitreux et poussa un grognement lamentable :

« Encore raté... Le sort est contre moi! »

Puis il s'assit, déboutonna sa bretelle et se tâta les côtes avec précaution.

« Alors, P'pa, fit P'tit Loup,

apitoyé malgré tout ; elle ne te quittera donc jamais, cette idée fixe de manger les petits cochons ?

— Beueueuh ! ne me parle pas de manger, fiston, répondit Grand Loup avec une grimace écœurée. Nif-Nif m'est resté sur l'estomac !... »

Chapitre 7

# Grand Loup s'amuse

Dans le car qui les ramenait à Pierrefendre, nos deux loups, le Grand et le P'tit, soupiraient tristement.

« P'pa est incorrigible, se disait P'tit Loup. Je passe mon temps ou bien à trembler pour mes amis, ou bien à soigner ses plaies et ses bosses... »

« Ce pays ne me convient pas, grognait de son côté Grand Loup. Ces diables de petits cochons y sont comme des poissons dans l'eau, et moi je ne récolte que des douches, des coups et des rhumes. Vivement que nous soyons tous de retour dans la forêt ! »

« Nous sommes arrivés, P'pa », dit P'tit Loup comme le car s'arrêtait devant la mairie de Pierrefendre. « Ouh là ! ajouta-t-il en ouvrant la porte pour descendre. Attention à ton rhume, il fait un froid de loup !

— Toujours le mot pour rire, grommela son père. Je trouve plutôt, quant à moi, qu'il fait un temps de cochon ! »

Le lendemain, Grand Loup soigna son rhume et s'ennuya.

Le surlendemain, le rhume

de Grand Loup était presque guéri et il s'ennuyait de plus en plus.

Le troisième jour, Grand Loup était en parfaite santé et s'ennuyait mortellement...

« Evidemment, se disait-il en regardant par la fenêtre les jeux de son fils, nous pourrions rentrer dès demain... Mais nous aurons aussi froid dans la forêt qu'ici, après tout. Ah! Que faire? Que faire?... »

Tout à fait entre nous, si Grand Loup n'arrivait pas à se décider à quitter Pierrefendre, vous pensez bien que ce n'était pas parce qu'il craignait d'avoir froid chez lui. C'était plutôt que Pierrefendre était seulement à quelques kilomètres de Ticochonnaz-le-Haut, et qu'à Ticochonnaz-le-Haut... il y avait nos trois amis!

« Allons, se dit-il ce jour-là, le terrain d'ici n'est pas très favorable à la chasse, c'est entendu! Mais rien ne m'empêche de m'entraîner en prévision du retour... Et alors, on verra ce qu'on verra! »

Son regard s'alluma à cette idée et, enfonçant son chapeau sur ses oreilles d'un air décidé, il ouvrit largement la porte :

« Fiston, cria-t-il, attends-moi. Je veux faire de la luge, moi aussi! »

P'tit Loup, stupéfait, freina des quatre

fers et s'arrêta dans une gerbe de neige, les yeux écarquillés et la bouche grande ouverte :

« De la luge!... Toi!

— Hé oui, moi, et alors?... Je ne vois pas pourquoi je serais le seul à m'ennuyer? Allez, pousse-toi un peu et montre-moi comment ça marche, cet engin! »

A la fin de l'après-midi, Grand Loup était mort de fatigue, il avait trois nouveaux accrocs à son pantalon et s'était tordu violemment le pied, mais il ne s'était pas ennuyé un seul instant!

Quant à son fils, il n'osait pas croire à son bonheur.

Toute cette semaine-là, tandis que les petits cochons s'étonnaient de n'avoir aucune nouvelle de leur ami, P'tit Loup fit de la luge avec son père.

Et toute cette semaine-là, sous prétexte de s'entraîner pour être en meilleure forme au retour, Grand Loup s'amusa en réalité comme un petit fou.

(Et il mit à rude épreuve son

fond de culotte, qui n'était déjà pas très neuf.)

Il commençait même à oublier les petits cochons quand, la veille du départ, il s'assit pour la dernière fois sur sa luge.

« En avant, fiston, cria-t-il. Faisons la course : je te parie que j'arrive le premier ! » Et il s'élança comme un bolide dans la pente. Le vent sifflait à ses oreilles, la luge rebondissait de plus en plus vite sur la neige ; il accélérait toujours !

A quelques mètres du but, il se retourna pour crier par-dessus son épaule à P'tit Loup :

« Je gagne, fiston ! Je ga... aïe aïe aïe !... qu'est-ce que... » *Badaboum boumboum !*

Il n'est pas très recommandé de glisser à toute vitesse sans regarder devant soi.

C'est ce que Grand Loup apprit à ses dépens quand il se retrouva dans les bras d'un gros ours blanc, qu'il venait de renverser dans sa course.

« Ah ! Tu joues au galopin, à ton âge ! » s'écria l'ours, furieux, en se relevant. Il souleva Grand Loup d'une seule main, le coucha sur son genou et lui administra une fessée retentissante.

« Si tu n'es plus d'âge à faire de la luge, tu es sûrement encore d'âge à prendre une raclée ! » rugit-il. Puis il l'attrapa par le fond de son pantalon (plus très neuf, le pantalon, vous vous souvenez ?) et le jeta dans la neige à quelques pas de lui.

Plouf! fit le corps de Grand Loup en s'écrasant dans la neige.

Claclaclac! firent ses dents sous le choc.

Craaaac! fit enfin la bretelle du pantalon en se déchirant.

Grand Loup n'aimait pas les coups, mais il y avait une chose qu'il détestait encore plus. C'était le ridicule...

Aussi quand P'tit Loup s'approcha pour l'aider à se relever, il l'écarta brutalement de la main gauche (la main droite était trop occupée à retenir son pantalon!) en disant sèchement :

« Ah toi, fiche-moi la paix, hein! »

Et il s'éloigna en boitillant vers sa maison.

Tout en remontant la pente, il se disait amèrement :

« Voilà ce que c'est de vouloir être sage... Mais on ne m'y prendra plus. Je suis un Loup, que diable ! Un Grand Loup !! Un Grand Méchant Loup !!! Et je vais le prouver pas plus tard que tout de suite ! »

Il serra les poings, grinça des dents et courut s'enfermer dans le hangar qui s'élevait juste derrière sa maison. Il n'en ressortit qu'à la nuit tombée, les mains dans les poches de son pantalon raccommodé et un mauvais sourire sur les lèvres.

Il ne faut tout de même pas quatre heures pour raccommoder un pantalon : qu'est-ce que Grand Loup avait bien pu faire pendant tout ce temps ?...

Chapitre 8

# Le stratagème de Grand Loup

« Ah, fiston, couchons-nous tôt ce soir, dit Grand Loup en rentrant au chalet. Je voudrais faire un dernier tour de luge demain matin, avant le départ. N'oublie pas que nous prenons le train de midi. »

P'tit Loup, tout heureux de voir son père de bonne

humeur malgré sa mésaventure de l'après-midi, s'endormit le cœur léger.

Le lendemain matin, il vit Grand Loup nouer son gros cache-nez et sortir sa luge du hangar, l'air innocent.

P'tit Loup lui dit gaiement :

« Je vais faire une dernière promenade, P'pa. A tout à l'heure pour le départ. » Et il se précipita au car de Ticochonnaz-le-Haut, pour voir enfin ses amis, qu'il avait un peu négligés toute la semaine.

« Qu'il fait froid pour notre dernier jour ! fit-il en entrant chez les petits cochons. Le thermomètre est descendu à 10° sous zéro ce matin !

— Dis donc, tu nous oubliais ! s'écrièrent en chœur Nif-Nif et Nouf-Nouf. Qu'as-tu donc fait toute cette semaine ?

— Eh bien, figurez-vous que j'ai fait de la luge avec mon père ! Il est tout changé depuis quelques jours, et ne songe plus qu'à s'amuser.

— Ah ! c'est donc pour cela qu'il nous a laissés tranquilles ! Mais sais-tu que nous finirions par nous ennuyer de lui, fit Nouf-Nouf en riant.

— N'exagérons rien, répondit Nif-Nif. Je ne me plains pas, moi. Remarque... la seule chose que je regrette, c'est que j'avais composé une petite chanson en son honneur... pas très amicale, vous vous en doutez ! Et s'il est devenu gentil, je n'aurai plus grand plaisir à la chanter. »

Naf-Naf écoutait la conversation en silence, d'un air soucieux.

« Eh bien, lui dirent ses frères, tu n'es pas content ? Nous n'avons plus rien à craindre du Grand Méchant Loup, ça ne te fait pas plaisir ?

— Je suis inquiet, répondit Naf-Naf sombrement.

— Inquiet ? Mais tout va bien ! Puisqu'on te dit que Grand Loup s'amuse au lieu de penser à nous !

— Justement, répliqua Naf-Naf, tout va trop bien. C'est cela qui est inquiétant. »

Un silence accueillit cette déclaration. Nouf-Nouf, stupéfait, finit par dire :

« Répète un peu ce que tu viens de dire, je me demande si j'ai bien entendu. Tu es inquiet ?

— Oui.

— Parce que tout va bien ?
— Mais oui, c'est cela qui n'est pas normal... »

Nif-Nif et Nouf-Nouf levèrent les yeux au ciel et éclatèrent de rire :

« Inquiet parce que tout va bien ! Il est fou !...
— Riez tant que vous voudrez, fit Naf-Naf sévèrement. Ce ne sera pas la première fois que votre insouciance vous jouera un mauvais tour. »

Il enfila son anorak et ouvrit la porte :

« J'ai quelque chose à voir dehors ajouta-t-il. En attendant, finissez votre petit déjeuner, et ne sortez pas avant que je ne sois de retour. »

Nouf-Nouf se versa un grand bol de chocolat et dit,

en imitant l'air sévère de Naf-Naf :

« Ce chocolat est excellent... Ça m'inquiète ! »

Et ils éclatèrent de rire à nouveau.

« Dis, Nif-Nif, reprit Nouf-Nouf en vidant son bol, tu nous la chanteras tout de même, ta chanson ?

— Oui, oui, tout à l'heure, quand nous serons dehors, promit Nif-Nif. Enfin... si ça n'inquiète pas trop Naf-Naf ! »

Pendant que nos amis plaisantaient de la sorte, Naf-Naf commençait sur la pointe des pieds une tournée d'inspection tout autour du chalet.

« Cette bonne humeur de Grand Loup ne me dit rien qui vaille, songeait-il. Cela pourrait bien être une ruse pour endormir notre méfiance. »

Et il redoubla de vigilance.

« Ah, je l'aurais juré ! s'écria-t-il quelques instants plus tard, en découvrant dans la neige une empreinte caractéristique. Voilà les traces de cet abominable individu. Surtout pas de bruit, et suivons la piste. »

Retenant sa respiration, Naf-Naf suivit donc les empreintes de Grand Loup qui le menèrent... au pied d'un énorme bonhomme de neige.

« Tiens, les traces ont disparu, se dit Naf-Naf. Bizarre ! Il ne s'est tout de même pas envolé... Allons voir ça de plus près. »

Et, à pas de loup (ce qui était bien le comble pour un petit cochon !) Naf-Naf s'approcha lentement du bonhomme de neige et s'arrêta à cinquante centimètres derrière lui.

« Mais... Mais ce n'est pas de la neige! C'est du carton-pâte recouvert de coton. C'est un mannequin! » Et Naf-Naf battit en retraite précipitamment, quoique sans bruit.

Il n'était pas difficile en effet de deviner ce qui se cachait à l'intérieur du faux bonhomme de neige : les traces de Grand Loup s'arrêtaient juste à ses pieds, et une touffe de poils noirs dépassait même par-dessous!

Voilà donc à quoi Grand Loup avait passé son après-midi de la veille! A fabriquer un mannequin creux en forme de bonhomme de neige, pour venir guetter tout à son aise le moment favorable, à quelques mètres à peine du chalet de nos amis...

Chapitre 9

# Tel est pris qui croyait prendre

« Nom d'un petit bonhomme ! s'exclama Naf-Naf en s'éloignant silencieusement. Ou plutôt, corrigea-t-il avec un fin sourire, nom d'un grand bonhomme de neige ! Heureusement que je suis moins confiant que mes frères. Attends un peu, méchante bête ! Ça va chauffer ! »

C'était une façon de parler, car le mot « chauffer » n'était pas exactement celui qui convenait aux projets de Naf-Naf... Ce jour-là, en effet, il faisait si froid que l'eau avait gelé dans la pompe ! Or Naf-Naf avait justement besoin d'eau... Il secoua donc ses bottes pleines de neige et rentra au chalet où nos trois amis achevaient leur petit déjeuner.

Sous leurs yeux étonnés, il alla chercher deux grands seaux et les remplit d'eau jusqu'au bord.

Puis il ressortit en disant :

« Je reviens vous chercher dans une minute. En attendant, habillez-vous chaudement, il gèle... Et surtout, ne sortez pas avant mon retour ! »

Un seau d'eau dans chaque main, Naf-Naf se dirigea après un large détour vers le bonhomme de neige et s'en approcha sans bruit par-derrière.

A l'intérieur, Grand Loup commençait à trouver le temps long.

« Saperlipopette ! songeait-il. Quel froid ! Vivement que ces petits chenapans sortent !... Je ne sens plus mes pieds... Si ça continue, je vais geler sur place. »

Il ne croyait pas si bien dire !

En effet, il avait eu la malencontreuse idée de s'arrêter juste dans un petit creux ; et ce détail n'avait pas échappé à Naf-Naf.

Pour le moment, ledit Naf-

Naf était justement en train de remplir tout doucement ce petit creux avec ses seaux. Mais l'eau gelait au fur et à mesure, au contact de l'air glacé...

Si bien qu'au bout de quelques minutes les pieds de carton du mannequin étaient complètement soudés à la terre par un bloc de glace.

Quant aux pieds de chair et d'os (et de poil...) de Grand Loup, ils se trouvaient du même coup emprisonnés jusqu'aux chevilles dans la flaque gelée.

Naf-Naf vida donc complètement ses seaux. Puis il fit le tour du mannequin et se campa devant, les poings sur les hanches.

« Ha! ha! s'écria Grand Loup. J'en tiens un!» et il

souleva le bonhomme pour se jeter sur Naf-Naf. Enfin... il essaya de le soulever...

Mais on ne brise pas comme cela un bloc de glace de vingt centimètres d'épaisseur... surtout quand on est fort à l'étroit!

Grand Loup s'agita, hurla, cogna, tempêta : il était bel et bien pris à son propre piège.

Naf-Naf le regardait faire en souriant :

« Alors, fit-il d'un ton moqueur, on dirait que tu aimes toujours le rôti? Moi, vois-tu, je préfère les sorbets. »

Et il tourna les talons.

« Venez voir, dit-il en rentrant au chalet. Il y a un magnifique bonhomme de neige derrière le gros chêne. »

Nouf-Nouf, Nif-Nif et P'tit Loup sortirent aussitôt gaiement, et coururent au gros chêne.

« Qu'il est grand... fit Nif-Nif, impressionné par la taille du mannequin, et plus encore par son regard, qu'il trouvait étrangement familier !

— Oui, ajouta P'tit Loup, juste de la taille de P'pa !

— Tout juste, répondit Naf-Naf. D'ailleurs, il a la même voix que lui. Écoute... »

De l'intérieur du mannequin provenaient en effet des hurlements assourdis, entrecoupés de jurons.

Au son de cette voix bien connue, la panique saisit Nouf-Nouf et Nif-Nif. Prenant leurs jambes à leur cou, ils se précipitèrent comme un seul homme (je veux dire : comme

un seul petit cochon...) vers le gros chêne. Ils étaient déjà à trois mètres de haut quand Naf-Naf leur dit sévèrement :

« Descendez de là, têtes de linottes ! Ah ! vous m'avez l'air de drôles d'oiseaux, je vous jure !... Allons, descendez !

— Mais Naf-Naf, tu n'entends pas ? Le Grand Méchant Loup ! Il est tout près... Il va nous sauter dessus !

— Il ne va rien faire du tout, répondit Naf-Naf. Il ne peut pas bouger. » Et il expliqua à ses frères comment il avait emprisonné Grand Loup dans le mannequin.

« Tu aurais pu nous prévenir, fit Nouf-Nouf, furieux, en redescendant. C'est malin !

— Cela vous apprendra à vous moquer de moi, dit Naf-Naf. Peut-être même que vous apprendrez à être prudents... Mais cela, j'en doute : vous êtes incorrigibles ! »

Nouf-Nouf lui tourna le dos sans répondre, décidé à bouder.

« Alors, Nif-Nif, demanda Naf-Naf pour détendre l'atmosphère, cette chanson que tu nous promettais ce matin ?

— Ah ! fit Nif-Nif soulagé, je n'aurai pas de remords à la chanter, dans ces conditions. »

Et, prenant ses frères par la main, il commença une ronde endiablée autour du mannequin, en chantant :

*S'il suffisait d'être méchant*
*Grand Loup nous aurait déjà pris...*
*Mais je crois bien qu'il faut aussi*
*Être un p'tit peu intelligent !*

*Ah! c'est un grand,*
*Un grand méchant!*
*Oui, mais pourtant*
*C'est en mêm' temps*
*Un grand bêta*
*Que ce Loup-là*
*Youp là!*

Un concert d'imprécations répondit, de l'intérieur du bonhomme de neige (pardon... de carton!)

« Oh! oh! fit Nif-Nif, Grand Loup perd son sang-froid!

— Perdre son sang-froid par une température de 10° au-dessous de zéro, reprit Nouf-

Nouf en pouffant de rire, il faut le faire!

— C'est bien simple, renchérit Naf-Naf, il doit bouillir de colère!»

Nos trois amis éclatèrent de rire, et P'tit Loup lui-même ne put retenir un sourire amusé.

«Eh bien, conclut Nif-Nif en reprenant son sérieux, au revoir, Grand Loup. Je suppose que nous nous reverrons... au printemps prochain! Tâche de ne pas trop t'ennuyer en attendant le dégel!

— Allons, ajouta Naf-Naf, assez ri; il ne faudrait pas rater le train. Rentrons faire les valises maintenant.»

Et les trois petits cochons, après avoir embrassé affectueusement leur ami P'tit Loup, s'en retournèrent vers le chalet en fredonnant leur nouvelle chanson :

*Ah, c'est un grand,*
*Un grand méchant!*
*Oui, mais pourtant*
*C'est en mêm' temps*
*Un grand bêta*
*Que ce Loup-là*
*Youp là!*

# Table

Achevé d'imprimer par Ouest Impressions Oberthur
35000 Rennes - N° 8855 - février 1989

*Loi n° 49-956 du 16 juillet 1949 sur les publications destinées à la jeunesse*
*Dépôt : février 1989*